XINBIANERTONGGUSHIHUAKU

新编儿童故事画库

西游记

XI YOU JI

远方出版社

责任编辑:戈　弋

封面设计:胡　杨

新编儿童故事画库

西游记

编著者：　黄　波

出　　版：远方出版社

社　　址：呼和浩特市乌兰察布东路 666 号

邮　　编：010010

发　　行：新华书店

印　　刷：咸宁市咸安区工人印刷厂

版　　次：2003 年 9 月第 1 次修订

印　　次：2003 年 9 月印刷

开　　本：880×1230　1/32

印　　张：90

字　　数：160 千

印　　数：1—10000 册

标准书号：　ISBN 7-80595-648-0/G · 148

定　　价：　150.00 元　（共 30 册）

目 录

美猴王出世

古时候，在海外东胜神州有一座花果山，云雾缭绕、景色秀丽。花果山上有一块仙石，天长地久，仙石渐渐地有了灵气。

有一天，一声巨响，仙石突然裂开，里面蹦出一个石猴。石猴眼里放出两道金光，一直射到天宫里，把玉皇大帝吓了一跳。玉帝赶忙派千里眼、顺风耳前往查看，千里眼、顺风耳报告说："那是花果山天生石猴儿的两只眼放光。石猴儿只要吃了东西，金光就会自然消失。"玉帝这才放了心。

石猴儿和一群野猴儿住在一起。一天，猴子们到山涧中洗澡，大家见水又清又凉，就好奇地去找源头。他们爬到山顶，看见一道瀑布。猴子们拍手说："真好看！真好看！谁有本事钻进去，找到源头再钻出来，不伤身体，我们就拜他为王。"大家叫到第三声，石猴儿跳了出来，高声答应："我进去！我进去！"他闭上眼睛，猛地一跃，跳进瀑布。抬头睁眼一看，里面并没有水。有一架铁桥，桥下的水冲过石孔，从顶上流出去，遮住了洞口。洞里像住家一样，石床、石凳、石盆、石碗，应有尽有。洞外边，松、竹、花、草映着阳光，景色非常优美！洞口石碑上刻着大字：花果山福地，水帘洞洞天。

石猴儿高兴极了，转身跳出瀑布，拍手笑着说："好福气！好福气！"他把里边的情形说了一遍，又带头钻进瀑布。猴子们学着他的样儿，胆儿大的，立刻就跟着跳进去了，胆儿小的，急得抓耳挠腮，又喊又叫，最后，也都跳进去了。

猴子们进了水帘洞，一个个抢锅夺盆，搬床移凳，闹个没完没了。石猴儿端坐在石座上，说道："各位，刚才大家说过，只要能进来又出去，不伤身体的，就拜他为王。我进来又出去，出去又进来，还给大家找了一个这么好的地方安家立业，怎么不拜我为王？"野猴儿们心服口服，立刻都跪在地上，一齐喊："千岁大王。"从此，石猴儿改名叫"美猴王"，做了花果山的主人。

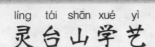

灵台山学艺

美猴王在花果山逍遥自在地生活着。一天，他突然想到死是件很可怕的事。为了永远不死，美猴王接受一只老猴的建议，决定到仙山古洞拜访佛仙神圣，学习长生不老的本领。

第二天，小猴儿们采来仙桃、异果为猴王送行。美猴王独自登上小木筏，顺风漂过大海，走了好多路，吃了不少苦，终于在灵台山找到了菩提老祖。

菩提老祖把他收下做徒弟，并给他取了个名字，叫孙悟空。悟空拜了师父，跟着师兄们学语言、学礼节，扫地锄田、担水劈柴，从不偷懒。

一天，菩提老祖登坛讲道，悟空听得入了迷，高兴得手舞足蹈。老祖问："悟空，为什么不好好听讲？""师父，弟子听到美妙的地方，不知不觉地忘了礼貌。"

老祖很高兴："你能听懂这么深奥

的道理，太难得了！你想学什么法术？"老祖列举了七八种法术，悟空听说不能长生，都不肯学。老祖生气地跳下讲坛，用戒尺在他头上打了三下，倒背着手走进屋，关上门不出来了。师兄们都埋怨悟空使大家错过了一次学道的好机会。悟空明白老祖的用意，任凭师兄们责骂，笑嘻嘻不说话。

深夜，悟空悄悄地从后门走进老祖的卧室，跪在老祖床前。老祖问："你不睡觉，到这儿来干什么？""师父打我三下，倒背手，关上中门，是叫弟子三更时候从后门进来。师父，我猜得对不对？"

老祖笑着说："鬼机灵的猴子！既然被你猜中，就教你一个长生不老的方法吧！"随后，又把驾云和七十二变的秘诀传给悟空。

一天，悟空正在练习驾云。老祖见他连拉带扯，又蹿又跳，翻了几个跟头离地只有几丈高，花了很长时间才飞五六里远，就说："悟空，这种驾云的方法不适合你，我教你学筋斗云吧！学会筋斗云，一个筋斗就是十万八千里。"

悟空非常聪明，加上他勤学苦练，很快就学会了老祖教给他的法术。

一天，师兄们缠住悟空不放，一定要他露几手。悟空也想显示显示，就拍着胸脯说："看看我的七十二变怎么样？大家随便出题目。"

"变棵大树吧！"悟空摇身一变，真的变成一棵枝繁叶茂的大松树！大家一起鼓掌叫好。

洞外的吵闹惊动了老祖。老祖高声问道："谁在喧哗！"有人答道："刚才悟空变成一棵大松树，像极了！我们在为他叫好。"

老祖生气地说："都是修道的人，一点儿也不稳重！悟空，你跟我来！"老祖私下对悟空说："悟空，你在人前露了本事，不能留在这里了！你出山后，无论什么时候，不管走到哪里，都不要说我是你的师父。"

悟空流着泪，磕头感谢恩师，驾着筋斗云回到花果山。

龙宫得宝

孙悟空学会长生不老、驾筋斗云和七十二变的法术，回到花果山，又做起他的美猴王。为防备妖魔和猎人们的侵扰、伤害，悟空开始教小猴们练武习兵。猴子们拾来树枝、木棍做武器，操练得很认真。没过多久，猴子们的武功和阵法就很像样子了！

悟空看着它们的武器，心想：我们每天练武习兵，引起人间国王的误会怎么办？倘若他们发兵进攻，我们的武器怎么能上阵！不如去搞些真正的武器来。于是，他驾起筋斗云来到傲来国。

孙悟空站在空中，向城内"呼"地吹出一口仙气。仙气转眼间变成一阵狂风，把全城的人们刮得东躲西藏，纷纷逃进屋中。他找到兵器馆，拔下一把毫毛，变成成千上万个小悟空，把所有的兵器都搬回了花果山。小猴们乱哄哄地各抢到一件兵器，迫不及待地舞弄起来。可是这些武器中，没有一件能合孙悟空的手，拿在手里，轻轻一掂，就折成几段。

这时，一个老猴精跳到悟空跟前说："大王，凡间的兵器你不能用，为什么不到东海的龙宫去借一

件呢？听说那里什么样的兵器都有。"

悟空觉得有道理，就念着避水诀，从水帘洞下的深潭中钻进大海。

东海龙王听巡海的夜叉报告说，有一个叫孙悟空的神仙来访，赶忙把悟空迎进龙宫。

悟空笑嘻嘻地说："老龙王，我是你的邻居，住在花果山水帘洞。听说你这里宝贝很多，如果有多余的兵器，麻烦龙王借一件给老孙用用！"

东海龙王不好意思拒绝，就命令部下抬出一杆三千六百斤重的九股叉。悟空在手中掂了掂说："轻，太轻了，不合手！"

龙王又叫人抬出一杆七千二百斤重的方天画戟。悟空舞了几下，摇着头说："轻，轻，还是不合手！"

龙王害怕了："上仙，这是龙宫最重的兵器，再也没有更重的了！"

这时，老龙婆和龙女走出来："大王，那块镇海的神铁，这几天闪闪发光，或许就是因为这位上仙要来吧！把它送给上仙好了！"老龙王摇摇头说："那块神铁重得很，搬都搬不动，怎么能做兵器！"

悟空却来了兴趣："看看再说！"悟空跟着东海龙王来到镇海神铁旁，看见它是一根又粗又高、闪闪发光的铁柱子，就把它扳倒，横在手上说："重量很合适，只是太长、太粗了些！"

悟空的话音一落，神铁就缩短几尺、缩小一圈儿。悟空连说几遍，神铁就缩成一丈二尺长，变得像小碗口那么粗。仔细一看，两头有两个金箍，中间刻着一行小字：如意金箍棒，重一万三千五百斤。

悟空高兴极了，挥舞着金箍棒回到龙宫。他翘着二郎腿，坐在老龙王的宝座上："老龙王，有了兵

8

器，没有盔甲不威风，索性再借一副盔甲给老孙穿几天。"

"上仙，小龙这里确实没有盔甲！"

"这老龙儿好小气，再说没有，就把龙头伸过来，让老孙打两棍试试！"

老龙王着了慌，忙说："上仙不要生气！我没有，老龙的三个弟弟或许有。"赶紧命令部将击鼓敲钟。不一会儿，南海龙王、西海龙王、北海龙王急急忙忙赶来，给孙悟空凑足了一副盔甲。

孙悟空告别东海龙王，从水帘洞的水帘下腾空而出。花果山的猴子们看到大王满身金光闪烁，手执如意金箍棒，比天神还威风千倍，高兴得不得了。从此，更加佩服美猴王。

齐天大圣

孙悟空龙宫借宝后，又跑到地狱大闹一场。结果，四海龙王和十殿阎王分别把美猴王告到天庭。

玉皇大帝很恼火，叫道："这个不知死活的妖猴，胆敢扰乱我定的规矩！来人哪，把妖猴给我除掉！"

这时，太白金星走上前说："陛下，妖猴是天地生成的灵猴，杀了他，恐怕不符合天意！况且，他已经修炼成功，成为长生不老的神仙。不如把他招到天庭，不管大小，给他一个官职，一方面能为陛下效劳，一方面也能约束他。这样不是更好吗？"

玉帝觉得有道理，就派太白金星到花果山招安孙悟空。太白金星见到孙悟空，

说明来意，悟空觉得在花果山已经玩腻了，正想到别的地方散散心，听太白金星说天上很好玩，还有官做，就乐呵呵地跟着金星到了天上。

玉帝问："哪个是妖仙？"

悟空只是弯弯腰："老孙就是！"

玉皇大帝知道他还不懂规矩，没有怪罪，让他去做弼马温。

孙悟空当了弼马温，干得非常卖劲儿，早起晚睡，天天到天河边去牧马，把天马养得膘肥体壮。

一天，悟空忽然问："弼马温这个官究竟有多大？"他的手下摆摆手说："没法说！"

"是不是太大了？"

"不，是太小了，小到不能说！除了我们几个，天宫里就再也找不到比你低的官儿！"

孙悟空一听，气得哇哇大叫道："玉帝老儿骗人，我不干了！"从耳中取出金箍棒，一路打出南天门，回到花果山。

玉皇大帝得知孙悟空反出天宫，大怒，立即命令托塔天王、哪吒太子率领天兵天将下界追杀。天王命令天兵天将把花果山团团围住，然后派巨灵神向孙悟空挑战。巨灵神是托塔天王的先锋官，身体就像一座大山，手中的巨斧就像遮天的乌云，一斧下去，山都能劈开。他见孙悟空在花果山上树起一面"齐天大圣"的大旗，大骂道："好一个狂妄的臭猴子！有什么本事敢叫齐天大圣！不要走，吃我一斧！"

悟空闪过劈来的巨斧，跳到空中，当头喝道："看打！"巨灵神来不及躲闪，只好用斧柄硬架。"喀嚓"一声，斧柄被拦腰打断。巨灵神转身就逃。

孙悟空不去追赶，高声叫道："脓包，快叫天王派个像样的过来！"

"泼猴，不要得意！我来收拾你！"悟空抬头一看，原来是哪吒三太子，就笑着说："小太子，打坏了你可不好玩，快叫你父王来。"

哪吒见悟空瞧不起自己，大怒，摇身一变，变成三头六臂舞着六种兵器劈头盖脸地向悟空打来。

悟空一惊：呀，这小哥还真有点儿能耐！也摇身一变，变成三头六臂；金箍棒晃一晃，变成三条，同哪吒大战起来。

哪吒术子叫声"变"！六件兵器化成千千万万，铺天盖地地打向悟空。悟空叫一声"好"，也把金箍棒变成万万千千。

混战中，悟空拔下一根毫毛，变出一个假身，真身跳到半空，向哪吒打去。哪吒躲闪不及，胳臂被金箍棒打中，疼痛难忍，负伤逃走。

托塔天王见赢不了孙悟空，只好回天宫向玉帝搬请救兵："陛下，孙悟空确实厉害！他挂起一面'齐天大圣'的旗帜，口口声声要做'齐天大圣'，如果不封，他就打上天宫。请陛下赶紧加派兵马征讨！"

玉帝正要开口，太白金星说："陛下，不如把孙悟空再招上天宫，封他个'齐天大圣'，只

有官衔，没有实职。这样做，总比损兵折将好。"

玉帝一想也对，就派金星再去招安孙悟空。

悟空跟着太白金星回到天宫，玉帝封他做了"齐天大圣"，还给他建了座齐天大圣府。从此，悟空过起了逍遥自在的神仙的生活。

大闹天宫

孙悟空做了齐天大圣，每天东游西逛，结交了很多朋友，日子过得逍遥自在。玉帝见他闲着，就让他看管蟠桃园。仙桃又大又甜，悟空借口巡查偷吃了不少仙桃。

一天，王母娘娘要开"蟠桃会"派七个仙女蟠桃园摘桃。只见满地桃核，却不见齐天大圣。原来，大圣吃饱了仙桃，变成个二寸长的小人儿，正躺在枝头上睡觉呢。

仙女们提着篮子，找遍了蟠桃园，只摘了几篮又青又小的蟠桃。好不容易找到一个半熟的，伸手去摘，却惊醒了大圣。

悟空大喝一声："谁在偷桃！"

仙女们不认识大圣，壮着胆子问："你是谁？为什么在这里大呼小叫？"

"老孙是齐天大圣，专管蟠桃园！"

仙女们早就知道大圣的名号，连忙解释说："王母娘娘要开蟠桃会。我们是奉命来摘蟠桃的。"

悟空好奇地问："蟠桃大会请谁，有没有我？"

仙女说：“没听说有你。”

悟空大怒：“老孙是齐天大圣，开蟠桃大会竟然不请我！等我找那老婆娘问个明白。”他说一声“定”，用定身法把七个仙女定在桃林里。

悟空来到瑶池，见酒席已经摆好。他闻见酒香，心想：不请我，老孙偏要先尝尝！他拔下几根毫毛，变成瞌睡虫，吹到仙官们的脸上。不一会儿，仙官们就睡着了。

悟空端起酒坛，拿着仙肴，尽情吃喝。酒足饭饱，想回大圣府睡觉。

他摇摇晃晃地走错了路，走到了太上老君的兜率宫。小仙们都去听老君讲道，没有人看守丹房。

大圣闯进炼丹房，看见桌上放着满满五戒芒仙丹：“哇！好运气呀！这么多的宝贝，趁老头儿不在让我吃个

够！”

悟空从戎芒里倒出仙丹，"咯嘣""咯嘣"，就像吃炒豆子一样，把仙丹吃了个精光！过了一会儿，酒醒了：不得了，玉帝非气疯不可，还是赶快跑吧！他使个隐身法，溜出天宫，回到花果山。

小猴们看到大圣回来了，高兴得又蹦又跳："大圣爷爷回来了！快拿酒来，给大圣爷爷接风！"悟空喝了一口，就龇牙咧嘴地说："这酒太难喝了！"

小猴儿们说："大圣，咱们山里的酒当然比不上天上的仙酒好喝呀！"

悟空说："孩儿们，等我再弄几瓶仙酒来，你们喝了也长生不老！"

他转身驾起筋斗云回到天宫，还用隐身法溜进天门，闯到瑶池，把仙酒、仙肴又装又拿，拿了一大堆，带回花果山，叫道："孩儿们，咱们也开个'仙酒大会'，好好喝几杯！"

就这样，天宫让悟空搅了个底朝天。

被困五行山
bèi kùn wǔ xíng shān

齐天大圣偷吃蟠桃、偷喝仙酒、醉吃仙丹，闯出大祸。王母娘娘、太上老君、瑶池仙官你来我往，纷纷跑到玉帝那儿告状，天宫里乱成一团。玉帝大发雷霆，命令天兵天将布下天罗地网捉拿孙悟空。

天兵天将杀气腾腾地围住花果山。孙大圣根本没把他们放在眼里，照旧喝酒。直到天将打到水帘洞口，悟空这才起身，晃一晃金箍棒，起身应敌。

托塔天王调兵遣将围攻水帘洞，悟空就派出七十二洞妖王和群猴去迎战。天王围攻好几天，没占到便宜，只好请玉帝增派援兵。

玉帝无可奈何地笑着说："这猴头有多大本领，能打得过十万天兵！"观音菩萨见玉帝为难，就说："我推荐一个人吧！灌口的显圣二郎真君神通广大，有梅山六兄弟帮助，一定能打败妖猴。"

悟空见了二郎神，就讽刺他说："你就是玉帝妹子下凡生的那个孩子吧！我不打你，快叫玉帝来！”二郎神恼羞成怒，把身体变得比华山还高，气势汹汹地来打悟空。悟空不甘示弱，也变得顶天立地。两个人旗鼓相当，杀得天昏地暗。

可是，花果山的猴子们没有大圣那样的本事，被梅山六兄弟追得四处乱逃。悟空看见手下吃了亏，急着去救援。可是，身后跟着个二郎神，怎么甩也甩不掉。

悟空摇身一变，变成一只小麻雀儿，落在树枝上“唧唧喳喳”乱叫。二郎神认出是悟空，就摇身变成饿鹰。悟空见势头不对，一抖翅膀，变成一只怪鸟飞上天空。二郎神赶紧一转身，变成一只大鹤，展翅就追。悟空在天上吃了亏，“唰”地一下，钻入水中，变成一条鲤鱼。二郎神追到水边，变成一只鱼鹰去啄悟空。

大圣见水里藏不住，变成一条水蛇，窜进草丛。二郎神看得清清楚楚，急忙变成灰鹤紧追不舍。水蛇一跳变成一只大鸨鸟，孤零零地站在山坡上。二郎神恢复本相，拿出弹弓就打。

孙大圣化成一阵清风，转到山脚，变成一座小庙，嘴变成庙门，眼睛变成窗子，尾巴不好藏变了根旗杆，立在庙后。

二郎神追到山下一看：咦，这座庙真奇怪，旗杆怎么会在后面？猜到是齐天大圣，就故意大声说："好吧！让我先捣窗子，再砸门！"

悟空心想：这个亏可吃不起！趁早溜吧！一纵身，跑到二郎神的神庙，变成二郎神的样子，装模做样地清点起账目来。

二郎神找不到孙悟空，急得团团转。他从托塔天王手中接过照妖镜，见悟空正在自己的家中指手画脚！二郎神气得两眼冒火，急忙赶回家中。二郎神的家人分不清真假，不知如何是好！

大圣见二郎神找到自己，就同他重新打回花果山。太上老君见孙悟空与二郎神、梅山六兄弟在天罗地网中打得难解难分，就偷偷地取出金刚琢，对准悟空一抛，金刚琢重重地打在悟空头上。

悟空聚精会神地同众神格斗，没想到太上老君会暗中偷袭，一下被打了个跟头。刚爬起身，哮天犬又扑上去咬住他的一条腿。二郎神和梅山六兄弟趁机蜂拥而上。这个搅乱天宫的齐天大圣终于被捉住了。孙悟空偷仙桃、仙丹，大乱蟠桃会被判了死罪，押上斩妖台。天兵天将把他绑到斩妖柱上，刀砍斧剁，火烧雷劈什么法儿都用上了，就是伤不了他一根毫毛。

天将向玉帝报告："大圣的本事太大了，我们杀不了他！"玉帝大吃一惊：这可不得了！留下这个祸根，以后就别想过太平日子！

太上老君赶紧说："我倒有个办法。猴子吃了那么多宝贝，已经变成了金刚不坏之体，刀枪伤不了他。不如把他放进八卦炉里，用仙火烧死。"

孙悟空被推进了八卦炉。太上老君用法术点起炉火，一连烧了四十九天。悟空见炉中火势有强有弱，就钻进一个火炼不到的地方藏起来。不过，这里是通风口，每天浓烟滚滚，把大圣的一双眼睛，炼成了火眼金睛。

炼丹的时辰满了，老君打开炉门准备取丹。大圣猛然看见亮光，"嗖"地跳了出来，一脚蹬翻了八卦炉，胳膊一甩，把炉边的老君甩了个倒栽葱。

孙大圣逃出八卦

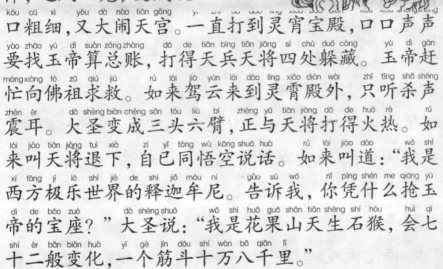

炉，从耳朵里取出金箍棒，迎风一晃，变成碗口粗细，又大闹天宫。一直打到灵霄宝殿，口口声声要找玉帝算总账，打得天兵天将四处躲藏。玉帝赶忙向佛祖求救。如来驾云来到灵霄殿外，只听杀声震耳。大圣变成三头六臂，正与天将打得火热。如来叫天将退下，自己同悟空说话。如来叫道："我是西方极乐世界的释迦牟尼。告诉我，你凭什么抢玉帝的宝座？"大圣说："我是花果山天生石猴，会七十二般变化，一个筋斗十万八千里。"

佛祖说："一个猴子成精，就要抢天宫？我和你打个赌吧：你跳出我的手掌心，我就让玉帝把天宫让给你；要是跳不出去，你还是去做妖精吧！"悟空暗自高兴：你的手掌还没个荷叶大怎么会跳不出去呢！就急忙答应："好吧！一言为定！"收起金箍棒，纵身跳到如来手上，一个筋斗跑得无影无踪。

悟空一连翻了几个筋斗，忽然看见前边有五根红柱子，心想：已经翻到天尽头了，让我做了记号，叫如来不能反悔。他拔下根毫毛，变支毛笔，

在那柱子上写下"齐天大圣到此一游"，还在柱子旁撒了一泡尿。悟空又一个筋斗翻回来，找佛祖理论，佛祖笑道：："看看我的手吧！"悟空低头一看，如来手指上写着："齐天大圣到此一游，"指缝里还有点尿臊气。

悟空大吃一惊，忙要再去查看。如来翻过掌，将大圣扑出天宫，五指化作五行山，把他压在底下。

悟空刚刚从山下伸出头来，佛祖就在山顶上贴了六个金字咒语，叫他再也动弹不得，从此困在五行山下。

五行山拜师

唐僧奉大唐皇帝的命令去西天取经，路过一座高山。离山还有五六里路，就听见像打雷一样的喊叫声："师父来了！师父来了！"

唐僧胆战心惊地走到山脚，看见山下压着一只猴子。他使劲地朝唐僧招手，说："师父，你怎么才来？快救我出去，我保你上西天取经！"唐僧上前，替他拔掉了脸上的青草，问道："你是谁？为什么叫我师父？"

猴子说："我是五百年前大闹天宫的齐天大圣，被佛祖压在五行山下，受尽了苦难。观音菩萨劝我专心等你救我出去，保你上西天取经。"

"我愿意救你，可是没有斧头、凿子，怎么救你呢？""你把山顶上的金字压帖揭下来，我就出来了。"

唐僧费了好大的劲爬上山顶，揭下压帖，回到山下对猴

王说:"你出来吧!"大圣欢天喜地地说:"师父你走远些,别吓着你。"

唐僧走出很远,大圣还在高叫"再远些!再远些!"唐僧只好又走。猛然间,传来一声巨响,一眨眼,大圣已经跪在面前。

师徒俩高高兴兴地上了路。忽然,一只猛虎从树林中窜出。悟空兴奋地说:"师父别怕,它是来给我送衣服的。"说着,从耳中取出金箍棒一棒将老虎打死。拔根毫毛变成一把尖刀,剥下虎皮,围在腰间。

唐僧问:"老虎见了你,为什么不敢动?"

悟空说:"我有降龙伏虎的本领,天兵天将见了都害怕,何况一只老虎!"正说着,前边有六个强盗拦住去路。他们抡刀舞枪,照着悟空砍了七八十下。悟空笑嘻嘻地说:"你们打够了,也让老孙打一棍子试试!"可怜六个强盗不经打,被悟空打成了六个肉饼。唐僧不忍心,说:"出家人不能杀生!就是强盗,也不该打死,你这样做,去不成西天!"悟空被唐僧一埋怨,就发起火来:"你说我做不了和尚,我还不想做呢！""呼"的一声，跑了个无影无踪。

唐僧没处找他，只好凄凄凉凉地自己上路。观音菩萨变老婆婆，等在路边。她送给唐僧一个包袱："你徒弟一时赌气，还会回来的。包袱里的锦衣、花帽，让他穿上、戴好；我再教你一个'紧箍咒'，只要一念咒，他就听话了。"

悟空来到东海龙宫，在老龙王耐心劝导下，又回到了唐僧的身边。

唐僧见徒弟回来，打开包袱说："徒弟，咱们误了不少路。包袱里有干粮，吃了好赶路。"

悟空看见锦衣、花帽，就说："好师父，把这套衣帽送给我吧！"

帽子戴到悟空的头上，忽然变成一道金箍，深深地长在肉里，用金箍棒都撬不下来。唐僧一念咒，悟空就疼得满地打滚。悟空忙说："师父，不要念了！我听你的话，一心一意保你取经，别再念那该死的咒语了！"从此，孙悟空才死心塌地地保护唐僧去西天。

白龙马

取经的路上，有一个深涧。涧水清澈极了，连小鸟都分不清哪是天、哪是地，常把自己在水里的倒影认成同伴，飞到水里淹死。因此，人们把它叫"鹰愁涧"。

唐僧、孙悟空来到这里，还没站稳，涧水忽然卷起一个大旋涡，"哗"的一声，窜出一条白龙，伸爪就抓唐僧。悟空急忙抱起唐僧，跳上高山。白龙追不上大圣，就把白马一口吞下肚去，钻入水中。

悟空安顿好师父，回来找不到马，便使出搅海翻江的本领，一金箍棒把涧水搅得像开水一样。白

龙忍受不住，窜出来说："马已被我吃了，又吐不出来，你想怎么样？"悟空说："那我说打死你出气！"白龙打不过悟空，变成一条小水蛇，"嗖"地钻进涧中的石洞，随悟空怎么骂，再也不肯出来。唐僧没了马，无法走远路；悟空想去求援，又怕师父没人保护，急得大呼小叫。这时在暗中保护唐僧的神仙请来了观音菩萨。

菩萨对悟空说："小白龙原本是西海龙王三太子，因为放火烧了玉皇大帝赐给的夜明珠，犯了死罪。我向玉帝说情，让他戴罪立功，在这里等待唐僧。你只要说出唐僧的名字，他就会上来的！"

菩萨来到涧边，说："龙王三太子，唐僧来了，赶快出来！"

小白龙听到菩萨的声音，立刻出来行礼。菩萨念着咒语，用杨柳枝蘸着玉净瓶里的神水，对着小白龙一洒，白龙就变成了一匹大白马。从此，唐僧就骑着白龙马去西天取经了。

计收猪八戒

唐僧、孙悟空来到西牛贺洲高老庄外，天色已晚，刚进村，就迎面撞上一个人。悟空见他匆匆忙忙，好像有麻烦事，便拉住他问路。那个人左扭右扭，挣脱不开，只好对悟空说了实话。

原来，他的主人高太公有个女儿，三年前，招一个姓猪的外乡人做养老女婿，没想到是个妖精。刚来时是一个黑胖大汉，后来现出原形，一个长嘴大耳朵的猪精，一顿饭能吃上百个馒头！高太公几次请法师赶他，都撵不走。今天又派仆人请高明的法师来降妖。

悟空笑道："太巧了！我们是东土

28

大唐派往西天取经的和尚，最能降妖捉怪。快领我们去见你主人。"

高太公见了悟空，暗自害怕：家中猪头怪脑的女婿还打发不走，又来了一个毛脸雷公的和尚。悟空猜到了他的心思，笑着道："太公不要害怕，我虽丑，却有本事，一定救出你的女儿。"

高太公领着悟空来到女儿的房外，只见大门紧锁。悟空用金箍棒打开锁头，让太公领走女儿，自己摇身一变，变成女孩的模样，等在房中。

半夜，外面飞沙走石，刮起大风，来了一个猪脸大肚子的妖精，进门就抱悟空。悟空心中暗笑，轻轻一推，把妖精推了一个大跟头。妖精嚷道："娘子好大的劲儿！是不是怪我回来晚了？"悟空说："不是，听说又有法师要来抓你了。"妖精笑着说："娘子只管睡觉。我猪刚鬣有三十六般变化，哪个法师敢抓我！""是齐天大圣要来抓你了！"妖怪一听就害怕了，说："我打不过他，还是躲开吧。"悟空一把抓住他，把脸一抹，说："呆子，看看我是谁？"

妖精回头一看，女孩儿变成了毛猴脸，吓得挣破衣服，驾云就逃。悟空拿出金箍棒紧追不放。妖精跑回妖洞，拿出一把大耙子，照着悟空就耙。

悟空笑道："你是不是把种地的耙子偷来当兵器了？"妖精说："我本是天蓬元帅，因为犯罪，变成了猪的模样，钉耙是从天上带来的神仙兵器，哪是耙地的农具！你怎么不在花果山，却到这里来欺负我？"

悟空说："老孙如今保唐僧去西天取经，路过这里。听说你强占高太公的女儿，所以来抓你！"妖精打不过悟空，正累得气喘吁吁。一听唐僧的名字，赶忙丢下钉钯，说："观音菩萨给我取名'悟能'，要我等待取经人，求你领我去见他吧！"悟空揪着妖精的耳朵，领他去见唐僧。唐僧听说他愿意做和尚，就高兴地说："我再给你起个名字，叫'八戒'吧！"

于是，猪八戒离开高老庄，跟着唐僧取经去了。

大战流沙河

在取经路上，有一条流沙河。这条河呀，有三千里长，八百多里宽。河水又浑又黄，满是沙子。最奇怪的是，河里什么东西都漂不起来，别说是木头，就是羽毛也沉底。所以，从没有人这里撑船打鱼。

唐僧师徒来到河边。正望着浑浊的河水发愁，突然，河水翻腾，里边钻出一个妖精：乱蓬蓬的红头发，蓝青色的脸，脖子上戴着九个人头骨做成的项链，手拿一条宝杖，好吓人哪！

看见妖精来了，悟空急忙抱起师父跑开。八戒放下担子，拔出钉耙就和妖精打在一起。两个人本事差不多，打了好久不分胜负。悟空看着着急，忍不住上前，照头就是一棒。妖精害怕，慌忙钻进河里。

八戒气得埋怨悟空："谁让你来的！你把他吓跑了，上哪去找！"悟空笑着说："兄弟，别急！我们捉住这个妖怪，让他送师父过河。我的水性不如你，你到河里引他上来，让我打他。"

八戒拿出当年做天蓬元帅的威风，"扑通"一声跳下水去，找到妖怪，叫道："妖怪！吃你猪祖宗一

耙！"妖精急忙挥舞宝仗，挡住钉耙。两个人边嚷边打，慢慢地靠近了河岸。可是，妖怪害怕金箍棒，怎么打也不上岸。悟空干着急，使不上劲，他跳上去，刚一靠前，那妖精就看见了，"嗖"的一声又钻进水里。

八戒说："哥呀，这妖怪变滑头了，他只怕你呢。我把吃奶的劲都用上了，只能和他打个平手，抓不住他。"

悟空说道："八戒，你在这里守护师父，等我去请菩萨。"说完驾起筋斗云，找到观音菩萨。

菩萨说："他本是天上卷帘大将，因为犯了罪，被撵到流沙河做妖精。我给他起名'沙悟净'，让他等待唐僧。你们一说取经的事，他就会上岸了。

菩萨给师徒木叉一个红葫芦，让他和悟空一起去找悟净。悟净听到木叉的叫声，急忙上来，对着唐僧行礼，又拜见了两个师兄。唐僧见他做事非常合乎礼节，十分高兴。唐僧给他起名叫"沙和尚"，也叫"沙僧"。

沙僧认了师父，便解下脖子上的人头骨，把红葫芦安在中间，变成了一只能飘在流沙河上的小船，送唐僧过了河。

从此，沙僧离开流沙河，跟着唐僧取经去了。

偷吃人参果

在风景优美的万寿山五庄观里，住着一位本领高强的神仙，叫镇元大仙。五庄观里长着一棵神奇的人参果树。人参果长得像小婴孩一样，人吃了可以长生不老。不过，树上只有二十八个果子，非常珍贵。

一天，大仙要出门，嘱咐看门的小童："唐僧来了，你们把人参果打两个给他吃。"

不久，唐僧师徒来到这里，小童问清身份，就打了两个果子，送给唐僧。

唐僧一看，吓了一跳："这不是小孩吗？赶快拿开！"

小童见唐僧不肯吃，就拿回去自己吃掉了，还笑话唐僧不识货。谁知八戒正在隔壁烧火。听得口水直流，赶紧招呼悟空，去偷几个尝尝新。

悟空用衣襟接了三个果子，带回去与八戒、沙僧分吃。八戒馋极了，拿过果子，一口就吞下去，连味道都没尝出来，还嚷没吃够。

小童听见八戒唠叨，发现丢了果子，就骂唐僧师徒是偷果子的贼。悟空被骂得火起，一不做，二不休，干脆推倒了人参果树。

半夜，悟空打开门锁，领着唐僧离开五庄观，临走还变出两个瞌睡虫，放到小童脸上，让他们睡大觉。

第二天，镇元大仙回来，非常恼火，就追上去，用袖子把他们一下子笼了回来，叫小童用鞭子来打。悟空说："偷果子、打倒树，我师父都不知道，还是打我吧！"小童打了几十鞭，悟空一点都不在乎，原来，他把两条脚变成铁腿，一点都不痛！

当晚，悟空让八戒挖来四棵柳树根变成师

徒四人模样，连夜逃走。第二天，小童打了半天，才发现打的全是柳树根！

大仙丢了面子，恼羞成怒，追上去把他们又抓了回来。这次，小童们搬出一口大锅，倒满油，烧上火，用油炸孙悟空。悟空把门前的石狮子变成自己的模样，自己跳到半空看热闹。小童们要搬"悟空"下油锅，却怎么也搬不动。几十个人一起用力才把"悟空"扔进锅里。只听"砰"的一声，热油四溅，小童们个个脸上烫起了大泡，锅也被打破：原来是个石狮子放在锅里。

大仙没办法，只好在再炸唐僧。悟空怕师父下了油锅，便又跳回来说："我师父受不住，还是炸我吧。"大仙说："我也知道你了不起，可你推倒我的人参果树，一定得赔！"

悟空说："你好小气！我医好你的树，你放我师父，怎么样？"

大仙说："你医好树，我不但放你师父，还要和你结拜为兄弟。"

悟空安顿好了师父，驾起筋斗云，周游仙山，寻访良方。最后，请来了观音菩萨，用玉瓶里的神水医活了宝树。

镇元大仙高兴地打下十个人参果，请大家分享；而且，不打不相识，还和悟空结成了兄弟。

36

三打白骨精

孙悟空保着唐僧去西天取经,走进一座高山。只见山势险恶,野兽成群,走了几天,不见人家。唐僧说:"徒弟,我饿了,快去化些斋来。"八戒也说:"是啊,我饿得都走不动了!"悟空跳上天空,手搭凉棚四下一望,下来对唐僧说:"这里没有人家。我看见南山里有一片桃树,去摘些桃子来给你们吃吧。"说完,就驾云走了。

这座山里有一个白骨夫人,是一堆白骨成精。白骨精听说吃唐僧肉可以长生不老,早就准备要抓唐僧。她见唐僧坐在路边,不禁喜出望外,上前就想抓。可是,八戒、沙僧站在一旁,妖精没敢动手。

白骨精眉头一皱,想出一条诡计。她摇身一变,变成一个漂亮的大姑娘,手里提着一个篮子、一个罐子,向唐僧走来。

八戒闻见香味，抬头一看，原来是个俊俏姑娘，赶紧上前搭话："女菩萨，到哪去？"妖精见八戒不认识自己，就高兴地说："我手里拎的是斋饭，正要去斋僧。"

八戒乐坏了，赶紧对唐僧说："师父，猴哥说附近没有人家，非要摘桃子去了。你看，那不是有人送饭来了？"

唐僧肉眼凡胎，把妖精当成好人，刚要跟她走，孙悟空捧着一堆桃子赶了回来。他睁开火眼金睛认出妖精的原形，举棍就打。白骨精也得厉害，看见金箍棒打来，便化成一股轻烟跑掉，把一个假尸体扔在地上。

唐僧不知真相，只说悟空打死了"好人"，再加人八戒在旁边挑拨，念起紧箍咒来。悟空头痛难忍，连连告饶。唐僧说："猴头，下次再犯，我就把紧箍咒连着念上二十遍！"

白骨精摇身再变，变成个老婆婆，挂着拐杖，哭着找女儿。八戒说："不好了！猴哥打死的一定是她的女儿，老婆婆找人偿命来了！"悟空仔细一看，认出还是那个妖精，毫不犹豫，举棍就打。那白骨精又化成轻烟跑掉了，把个假尸体扔在地上。

唐僧见悟空不听话，又打死了"老婆婆"，二话不说，就把紧箍咒足足念了二十遍，把悟空的头勒得像个细腰葫芦。悟空疼得满地乱滚，只说："师父别念了！"

唐僧说："你为什么不听话，连着打死人？"

悟空说："那是妖精。"

"胡说！哪有这么多妖精！我不要你做徒弟，你回去吧！"

悟空说尽了好话，唐僧这才答应再饶他一次。

白骨精对悟空恨得咬牙切齿，决定要想尽一切办法欺骗唐僧，赶走孙悟空。她按下云头，又变成一个老公公，头发雪白，手拿念珠，嘴里念佛。唐僧说："这老公公走路还念佛呢。"八戒挑唆说："师兄打死

39

了他老伴和女儿，他找你偿命来了。”

悟空认出又是白骨精捣鬼，心想：打死她，师父怪罪，不打她，妖精要吃师父。一咬牙，举起金箍棒，狠狠打去，把白骨精打死在地。

唐僧一见悟空又打死了“老公公”，吓得说不出话来，刚要念咒，悟空急忙叫他来看地上的白骨精：“师父，你看，她本是白骨成精叫‘白骨夫人’。”八戒却说：“师父，这是师兄故意变化骗你的。”

唐僧听信了八戒的胡说八道，就写了一张断绝关系的文书，把孙悟空赶回花果山去了。

宝象国遇难

赶走孙悟空后不几日，师徒三人来到一片黑松林。两徒弟出去化缘，只剩下唐僧一人。唐僧等得心急，出去找徒弟们，发现有一座宝塔金光闪闪，便走了过去。进去一看，发现里面的石床上躺着一个青面獠牙的牛头夜叉，才知上当了。原来这妖怪是波月洞洞主黄袍怪，也想吃了唐僧肉长生不老。

唐僧被捆起来，又恨又怕，八戒、沙僧回来后发

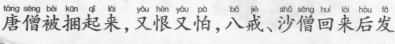

现师父不见了，四处寻找，终于找到了波月洞口。黄

袍怪见唐僧的两个徒弟来了，便想把他们抓住一块吃了。于是和他们打将起来。正当他们三个打得不可开交时，一个女子救了唐僧。原来这女子是宝象国的百花公主，十三年前被妖怪抢去做了夫人。百花公主从后门放走了唐僧，并托唐僧转交一封信给父皇。等唐僧走后，公主叫黄袍怪不要打了，说她已经放走了唐僧。妖怪正要去追，公主苦苦求情，妖怪心一软只好作罢。

师徒三人慌忙赶路，唯恐妖怪追来。走了三百里地，到了宝象国。国王看了女儿的信，非常难过。他请八戒、沙僧帮他降妖，救回女儿。八戒、沙僧回头去降那妖怪，无奈战不过妖怪。八戒心虚，一个人逃了，沙僧不敌，被妖怪活捉了。妖怪听沙僧说宝象国里国王已知道女儿的下落，便决定去看看自己的丈人。黄袍怪变做一个英俊的小伙子，来见国王，并称自己是百花公主的丈夫。他还说是唐僧是老虎精

变的,十三年前抢走了公主。黄袍怪又说:"是我打伤了老虎精救了公主,现在他是来害你的。"说完,他朝唐僧喷了一口水,把唐僧变成了一只老虎,国王深信不疑,命侍卫把老虎关在笼中。

黄袍怪得到国王的信任,在宫里大吃大喝,白龙马很着急,决定冒险救唐僧。晚上,白龙马变成一个婢女,假装倒酒,拔剑猛刺妖怪。妖怪连忙躲开,拿蜡台还击,结果白龙马受伤,一头钻进河里逃走了。后来猪八戒回到宝象国,听白龙马说师父被变成了老虎,只好去花果山找孙悟空。孙悟空还在生闷气,不愿去打妖怪,只领着八戒到处游玩。八戒很着急,便用激将法:"那妖怪说唐僧的大徒弟孙悟空没什么了不起,如果见到他,就抽他的筋,剥他的皮!"悟空一听气得连蹦带跳,连忙要八戒带他去救师父。不一会,他们来到了波月洞。黄袍怪还在宝象国，师兄弟把一群小妖打得死的死，逃的逃。

沙僧被救出来，百花公主也自由了。孙悟空留在洞中。黄袍怪回来时，孙悟空变成百花公主去迎接他。假公主推说心口痛，黄袍怪连忙递过一个宝贝珠儿。孙悟空接过珠儿，把脸一抹，现了本样。黄袍怪大怒："弼马温，欺人太甚，拿命来！"两人一场恶斗。几十回合下来。黄袍怪有些抵挡不住，吃了一棒后，逃得无影无踪。孙悟空想那妖怪认得自己，说不准是天上下来的，便想去查一查。经玉帝一查，那黄袍怪果然是二十八星宿的奎星。玉帝派天神降伏了黄袍怪，带回了天宫。孙悟空把百花公主送回宝象国，又把师父变回原形。孙悟空看出了唐僧的惭愧，劝慰道："师父，咱们不提前事，您只要不念那紧箍咒儿，我就知足了。

为报答救女之恩，国王大摆筵席，款待师徒四人，三天后送他们继续西行。

平顶山捉妖

唐僧师徒这天来到平顶山，山上有个莲花洞，洞中有两个妖魔，一个叫金角大王，一个叫银角大王。

金角大王听说唐僧师徒要路过这里，吃了唐僧肉可长生不老，便画了四人的容貌，叫银角前去捉拿。

银角带了画像率领小妖走出洞来，正撞着巡山的八戒，八戒举钯迎战。

斗了二十回合，八戒见妖怪人多，转身就跑，被脚下的石头一绊，跌了一跤，被小妖捉住了。

银角知道悟空厉害，就变作一个老道，躺在路旁，唐僧走来，心生怜悯，叫悟空背他下山。

悟空想摔死这泼魔。那怪也知道悟空的动机，急忙移来峨眉山、须弥山和泰山，把悟空压在山下。

银角压倒了悟空，驾去追唐僧，片刻将唐僧、沙僧和白马等擒到莲花洞里去了。

为了消除祸根，银角又拿出紫葫芦和羊脂玉净瓶，吩咐精细鬼和伶俐虫两小妖去把悟空装来。

悟空被大山压住，动弹不得，便叫山神把山移开。悟空出来后，变作一个老道，碰上了精细鬼和伶俐虫。

假老道问小妖哪里去，他们说去捉孙悟空。"把这宝贝口朝下，喊他一声，他若答应就装进去了。"

悟空拔根毫毛变成一个又大又红的葫芦，说这葫芦能装天。二妖眼红，就用两件宝贝换了大葫芦。

金角听说宝贝被骗，暴跳如雷，另派两个小妖去压龙洞请老母来吃唐僧肉，顺便带幌金绳来捉悟空。

悟空在半路打死小妖和老妖婆，得了幌金绳，自己变作老妖婆，坐在轿子里往莲花洞而来。金角发现受了骗，举剑刺来，悟空飞上云端，悟空飞上云端，举棒相迎，悟空拿出

45

huǎng jīn shéng kòu zhù le yāo mó
幌金绳,扣住了妖魔。

shuí zhī jīn jiǎo huì shǐ sōng shéng zhòu tuō chū shēn lái jiāng shéng yī pāo
谁知金角会使"松绳咒",脱出身来,将绳一抛,
fǎn kòu zhù le wù kōng dài huí dòng nèi sōu chū hóng hú lú hé yù jìng píng
反扣住了悟空,带回洞内,搜出红葫芦和玉净瓶。

wù kōng jù duàn huǎng jīn shéng yòng háo máo biàn hú lú tōu huàn le zhēn hú
悟空锯断幌金绳,用毫毛变葫芦偷换了真葫
lú qián qù tiǎo zhàn yín jiǎo ná zhe jiǎ hú lú chū dòng hòu bèi wù kōng zhuāng
芦,前去挑战,银角拿着假葫芦出洞后,被悟空装
le jìn qù
了进去。

jīn jiǎo chū dòng dà zhàn wù kōng wù kōng bá yī bǎ háo máo biàn chéng wú shù
金角出洞大战悟空,悟空拔一把毫毛变成无数
xiǎo wù kōng bǎ xiǎo yāo quán dōu dǎ sǐ jīn jiǎo zhàn bài cháo yā lóng dòng fāng xiàng
小悟空,把小妖全都打死。金角战败朝压龙洞方向
táo qù
逃去。

wù kōng chū bù zhuī gǎn huí dào dòng lái jiě xià shī fù bǎ dòng nèi quán
悟空出不追赶,回到洞来,解下师父,把洞内全
sōu suǒ yī biàn dé le yù jìng píng yòu zhǎo lái mǐ cài ān pái zhāi fàn
搜索一遍,得了玉净瓶。又找来米菜,安排斋饭。

cì rì zǎo chén shī tú zhèng yào shàng lù hū rán jīn jiǎo bān hú qī dà wáng
次日早晨师徒正要上路,忽然金角搬狐七大王
qián lái bào chóu bā jiè shā sēng dǎ sǐ hú qī wù kōng yòng yù jìng píng zhuāng le
前来报仇。八戒沙僧打死狐七,悟空用玉净瓶装了
jīn jiǎo
金角。

46

大战红孩儿

有一个叫红孩儿的妖怪，在火焰山修炼了三百年，练成了非常可怕的三昧真火，就来到号山称王称霸。

红孩儿听说唐僧的肉特别好吃，天天盼着唐僧早点儿到来。一天，红孩儿跳上天空，向东方观察，远远地看见孙悟空、猪八戒和沙和尚保护着唐僧向号山走来，高兴得手舞足蹈，忘记了隐藏自己的妖气。

悟空看见空中升起一朵火红的妖云，连忙把师父推下白龙马，叫道："有妖怪，快保护师父！"八戒和沙僧赶紧拿出兵器，同孙悟空一起把师父和白龙马围护起来。

红孩儿很奇怪：是谁这么有本事发现了我？看来，硬捉是不行的，不如换个方法！于是他落下云头，在树林中变成一个小男孩儿，光着身子捆住手脚吊在树上，等在唐僧经经过的路边，不停地喊着"救命"。唐僧说："悟空，我听见有人喊救命，你去看看！"孙悟空知道是妖精弄鬼，就使了一个移山缩地法，把妖精远远地甩在身后。

红孩儿见计谋没有得逞，重新把自己吊在前边的树上。唐僧肉眼凡胎，认不出是妖精，就让八戒把小男孩解救下来，还让妖精同自己一起乘坐白龙马。

红孩儿心想：孙悟空最厉害，只要制服了他，其他的人就好办了！连忙说："师父！我的手脚被捆得又酸又麻，乘不得马。那位长嘴大耳朵的师父长得好丑，黑青脸的师父很可怕，不如叫这位毛脸雷公嘴的师父背我好！"

孙悟空正想对付这个妖精，就高兴地说："好的，我来背！"

孙悟空背着红孩儿故意落在后面，想在师父看不见的时候摔死妖精。可是，红孩儿事先猜到了悟空的用意，就用重身法来压悟空，真身却跳上半空，刮起一阵狂风把唐僧抓走。

48

悟空把红孩儿的假身摔成肉饼，连忙向前追赶，只见八戒和沙僧还趴在地上避风，师父却早已不见踪影。

师兄弟三人找遍了附近的地方，怎么也找不到师父。孙悟空摇身一变，变成三头六臂手持金箍棒，在空中一阵乱打，打得石裂山崩，打出了一群被红孩儿勒索得吃没吃、穿没穿，穷得叮当响的山神和土地，这才知道红孩儿住在枯松涧的火云洞里。

火云洞外，红孩儿让小妖推出五辆小车摆放好，自己拿着火尖枪迎战孙悟空。八戒看见红孩儿只有招架之功，一点还手的力量都没有，就抡起钉耙，朝红孩儿当头筑去。红孩儿招架不住，慌忙逃回到洞边，跳上中间那辆小车，举起拳头朝自己的鼻子打了两拳。

八戒笑得大肚皮直打颤，指着红孩儿说："师兄，你看妖怪不知羞，打不过我们就耍赖！他想打破鼻子去告我们哪！"话音刚落，红孩儿的鼻子和嘴里就喷出了浓烟烈火，点燃了五辆小车。火云洞前立刻变成一片火海。

悟空请来了四海龙王帮忙。可是，红孩儿的火是神火，龙王带来的普通海水浇不灭！海水浇到火中，反而使大火越烧越旺！

孙悟空非常勇敢！他跳入火海，去寻找红孩儿，不小心被红孩儿一股浓烟喷进眼中。悟空连忙跳入枯松涧中去洗眼睛，没想到被冷水一激，一下子晕了过去。

救醒悟空后，八戒去请观音菩萨降妖，结果半路上被装扮成观音菩萨的红孩儿骗进洞中关了起来。后来呀，悟空亲自请来了真的观音菩萨，降伏了红孩儿，救出也师父。

车迟国斗法

车迟国有三个国师，一个叫虎力大仙，一个叫鹿力大仙，一个叫羊力大仙。

三个国师为了刁难唐僧师徒，向国王提出要同唐僧师徒斗法。这时，正巧有大臣来报告，说民间出现旱情，于是靳王就叫双方以求雨赌输赢。

虎力大仙自以为法术高强，就抢先登上高坛祈雨。他口中念念有词，又是烧香，又是挥剑，折腾了半天，一滴雨也没下。

轮到孙悟空求雨，他把金箍棒朝天上一指，风神就赶紧打开风口袋放出大风；金箍棒又向上一指，云神、雾神马上放出浓云大雾；金箍棒再向上一指，雷公、电母立刻电闪雷鸣；悟空把金箍棒第四次指向天空，四海龙王毫不犹豫地下起大雨。雨下了很长一段时间，悟空把金箍棒第五次指向天空，不一会儿，雨停云散，变得晴空万里。

虎力大仙不服气，又要比坐禅，叫"云梯显圣"。很快，分别由五十把椅子一一叠成的云梯就搭好了，高高的，非常危险。虎力大仙首先驾云南登上云梯。孙悟空变作一朵五色彩云，把唐僧也稳稳地送上高台。

过了一会儿，唐僧露出痛苦的表情。悟空很奇怪，变成小虫，飞上去一看，哇，原来师傅的光头上叮着一个豆粒儿大的臭虫！悟空心想：这一定是妖怪搞的鬼！他杀死臭虫，变成一条大蜈蚣，爬到虎力大仙脸上，狠狠地咬了一口。虎力大仙大叫一声，从云梯上倒栽下来。

鹿力大仙为了挽回面子，又同唐僧比"隔板猜物"。

皇后把一套漂亮的服装放在柜子里。鹿力大仙抢先猜："这是皇后的衣服。"唐僧说："不对，这是一件破僧袍。"打开柜子一看，果然是件破僧衣。

这次，国王叫手下把一个大鲜桃放入柜中。羊力大仙说："里面是鲜桃。"唐僧说："不对，里面是一个桃核。"打开一看，果然是桃核。

第三次，国王把一个小道童放要里面。虎力大仙说："柜子里是个道童。"唐僧说："不对，是小和尚。"结果，还是唐僧说得对。

国王和大臣们不敢相信自己的眼睛！原来，这都是孙悟空做的手脚：是他把好衣服变成破僧袍，吃了桃肉剩桃核，把道童剃成光头小和尚。

三个国师恼羞成怒，同孙悟空赌起了性命：

虎力大仙同孙悟空赌砍头。

刽子手砍下悟空的头，用脚踢出很远。悟空用腹腔高喊"头来！"可是，头被虎力大仙唤来的土地神按住。不过，这难不住悟空——他把身体左右一摇，又长出一个头来。虎力大仙被砍下来，也像悟空那样用腹腔高喊"头来！"悟空一见，拔腿毫毛，变成一只大黄狗，叼上头就跑。虎力大仙的头回不来，栽倒在血泊中，原来是一只老虎。

鹿力大仙同孙悟空赌剖腹剜心。

孙悟空让刽子手把腹部割开，自己拿出肠子，一边玩儿，一边整理，好一会儿才放回腹中。然后，吹口仙气，长得和原来一模一样。

鹿力大仙也像孙悟空那样摆弄着自己的内脏，可是，他的肠胃冷不防被一只饿鹰抓走。没有了肺腑的鹿力大仙死在刑场上，原来是一只白鹿。

羊力大仙同孙悟空赌油锅洗澡。

孙悟空跳进烧滚的巨大油锅内，翻腾跳跃，玩得非常高兴。玩累了，还在油锅里睡了一觉呢！不过，可把师父和师弟们吓坏了！羊力大仙也像孙悟空那样在油锅内游戏玩耍。悟空觉得奇怪，伸手一摸，咦？油是凉的。一看，有条冷龙正在锅底。悟空叫北海龙王将冷龙捉走。油很快翻滚起来，把羊力大仙炸得皮焦肉烂，原来是一只羚羊。

虎力大仙、鹿力大仙、羊力大仙不自量力，最终落了一个可悲的下场。

54

通天河救人

一天傍晚，唐僧师徒来到一条大河边。河边的石碑上写着：通天河，径过八百里，亘古少人行。孙悟空跳上天空观看，宽阔的河面上静悄悄的，一只船也没有。师徒见天色已晚，又无法过河，就到陈家庄借宿。

说来真巧，借宿的这家正在请和尚念经做佛事，一见来的四位是大唐高僧，就连忙请进家中。念经的和尚们见到孙悟空、猪八戒和沙和尚，以为是妖怪来了，就纷纷逃出陈家。原来准备好的、足够一百五十多人吃的饭菜，让八戒、沙僧美美地吃了一顿。吃饭的时候，唐僧见主人偷偷地流泪，就奇怪地问："您为什么哭哇？是不是嫌我的徒弟们吃得太多了？"主人摇摇头说："不是，是因为我家有大灾难！"

悟空连忙凑过来问："快说说，说不定我老孙能帮点儿忙。"

主人擦了擦眼泪说："通天河有位灵感大王，每年都要吃童男童女。现在轮到我儿子和侄女，今晚

55

就要送到灵感大王庙，所以，忍不住就哭了，请高僧原谅！"

"原来是这样！"悟空挥挥手说："把你儿子抱出来，让大家看看。"不一会儿，里面跑出一个七岁的小男孩儿。他不知道今晚就要被灵感大王吃掉，还蹦一跳玩得很高兴。悟空走到男孩儿身边，摇身一变，变得同男孩一模一样。谁也搞不清哪个是真，哪个是假。

悟空变回本相，问道："我能替你儿子去吗？"

"能去能去！"主人赶忙磕头谢恩。

童男有了，童女怎么办？主人全家还是高兴不起来。悟空笑嘻嘻地指着八戒说："我这长嘴大耳朵的胖师弟做童女最合适。"

八戒噘着嘴说："猴哥就会捉弄我！庞大的东西我能变，小女娃娃我怎能变得来？"话音未落，小女孩已被家人领到面前。八戒端详了一会儿，把身体摇了好半天才把脑袋变过来。一个小女孩的脑袋长在一个胖大的和尚身上，怪怪的，非常好玩！没办法，悟家只好吹口仙气帮他把身体变过来。

八戒刚变成童女，就听外面有人喊："时间到啦，快送童男童女！"就这样，孙空和猪八戒被乡亲们抬到了灵感大王庙。

八戒坐在供桌上很害怕，小声对悟空说："师兄，不知妖精先吃童男还先吃童女？"悟空眨眨眼，说："要他先吃我好了。"

正说着，外面刮起大风。灵感大王到了！像以往一样，灵感大王直奔童男。悟空突然开口说话，吓了妖精一跳，心想：以前我一来，童男童女早就吓死了，这个童男胆大！还是先吃童女吧！想着，又转

向八戒。八戒忙说："大王还是先吃童男吧，不要坏了惯例。"

妖精已经急不可耐，哪管许多，伸手就抓。八戒跳下供台，现出本相，举钉耙就打。灵感大王慌忙缩手，"当"的一声，两块很大很大的鱼鳞落在地上。灵感大王化做一缕青烟，逃得无影无踪。

再说这通天河里住着一个金鱼精，他施展妖法，一夜间，把河面冻上了厚厚的一层冰。

第二天，唐僧、孙悟空、猪八戒、沙僧和白龙马，告别了送行的人们，踏着坚冰向河对岸走去。刚到河中央，只听"哗啦啦"一声巨响，冰面崩塌，除悟空外，其余的连人带马都落入水中。

唐僧被金鱼精抓走。幸好八戒、沙僧和白龙马没事儿。兄弟三人凑在一起，商量着赶快救师父。悟空说："我不擅长水战，救师父还要劳驾两位师弟。"沙僧挠挠头说："大师兄，你不去，我们的胆子就不壮，不如我背你一起去吧！"八戒想捉弄一下悟空，就抢着说："我背大师兄。"悟空猜到了八戒的用意，变了一个假悟空让他背着，真身变成一只猪

58

虱子，叮在他的耳朵里。

三人在水中走着，八戒故意摔了一跤，把假悟空摔得无影无踪。沙僧抱怨说："我背大师兄，你偏抢着背。这回可好，把大师兄给摔丢了！"悟空大声叫道："沙师弟，我没丢，还在八戒的身上。"吓得八戒连连求饶。

到了妖精住的地方，悟空变成一个长脚虾婆混进府内，不一会儿，就打听到了师父的下落。他找到八戒、沙僧说："师父被妖怪扣在一个石匣子里。你们上门挑战，如果打赢就救出师父；打不赢就把妖精引到岸上，我来打他。"说完，掐着避水诀，回到岸上。八戒、沙僧在妖精门前大喊大叫："臭妖怪，快还我师父！"

金鱼精率领一群小妖出门应战。没说几句话，双方就打了起来。可是，八戒、沙僧拼尽全力，只能同妖精打成平手。八戒朝沙僧一使眼色，二人假装战败，向岸上逃去。金鱼精在后面紧紧追赶。

八戒、沙僧先后跳出水面，叫道："师兄，妖怪来了！"金鱼精一露头，孙悟空抡起金箍棒就打，他连忙用两柄铜锤架住，"嗖"地一下钻入水中逃走了。

八戒、沙僧再去叫战，金鱼精就是不肯出来。悟空怕耽搁久了师父受害，就驾起筋斗云到南海去请观音菩萨帮忙。

观音菩萨同悟空来到通天河，把一个竹篮放在水面，像背诵课文一样念道："死的离开，活的进来！死的离开，活的进来！"一连念了七遍。提起篮子一看，哇，里面多了一条金光闪闪的金鱼！原来，这是观音菩萨后花园里的金鱼跑到通天河当了妖精。悟空三人救出师父，由一个大龟驮过通天河，继续向西天走去。

60

女儿国奇遇

唐僧师徒走着走着，被一条大河拦住去路。奇怪得很，摆渡的人全是女子！他们登上一位老婆婆的船，慢悠悠地向河对岸驶去。唐僧见河水清澈，叫八戒舀起一钵水，自己喝了一小半，剩下的大半被八戒一口喝光了。

不一会儿，唐僧说肚子痛，八戒也抱着肚子直哼哼。一问老婆婆，才知道这条河叫子母河，喝了子母河水就会怀孕。你说怪不怪！

唐僧、八戒又痛又怕，叫悟空赶紧想办法。悟空按照老婆婆的指点，驾起筋斗云，到解阳山破儿洞去取落胎泉水。这落胎泉水呀，非常神奇，怀孕的人喝了就没事

了！可是，落胎泉被一个叫如意真仙的道士霸占了。

悟空到了解阳山，说明来意，如意真仙不但不给泉水，还大骂悟空。两个人就打了起来。如意真仙打不过悟空，跑到落胎泉边"呼哧、呼哧"地喘粗气。悟空追来，他就跑到旁边；悟空打水，他就跑上来捣乱，用一个锥子锥悟空的脚，搞得悟空也打不成水。悟空眼珠一转，一个筋斗飞回去，叫来了沙和尚。

沙和尚见师兄把如意真仙拦住，就从从容容地打了满满一桶水，腾空离去。悟空也饶了如意真仙，回到师父身边。

唐僧和八戒喝了落胎泉水，很快就没事了。

后来呀，还有奇怪的事呢：进了城，一个男人也看不到！原来，这是一个女儿国！国王放着皇帝不做，一心想同唐僧结婚，让唐僧做国王，自己做王后。悟空叫唐僧假意答应了国王，等关文换到手，出了城门，就快马加鞭地向西去了。留下女王哀伤地流着眼泪。

真假美猴王

一次，孙悟空打死几个强盗，气得唐僧狠狠地念了几十遍紧箍咒，然后把悟空赶走了。

悟空觉得委屈，就到南海找观音菩萨诉苦。没想到，一个妖精趁机变成了孙悟空的模样，打昏了唐僧，抢走了行李，跑到花果山挑选几个猴精，变成唐僧、猪八戒、沙僧的模样，自己想到西天取经。

八戒和沙僧听完师父的描述，对孙悟空非常痛恨。沙僧到花果山找孙悟空要行李，发现有妖精装扮自己，愤怒极了，一禅杖把妖精打死，原来是一个猴精。孙悟空变了脸色，喝令捉拿沙和尚。沙僧知道不是孙悟空的对手，驾起云向南海跑去。

到了南海，见悟空站在菩萨身边，不由分说，举杖就打。菩萨连忙喝住："悟净，为什么一见面就打师兄？"沙僧于是把孙悟空打昏师父、抢走行李以及自己到花果山的经历诉说了一遍。

菩萨笑道："悟空在我身边已经四天了，没有离开过。你错怪师兄啦！"又对悟空说："你同师弟到花果山看看是怎么回事，然后给我回话。"

悟空和沙僧赶到花果山一看，果然真有一个孙悟空在指挥群猴。悟空怒不可遏，抡起金箍棒就向假悟空打去。假悟空也不示弱，举棒相迎。沙僧看得眼花缭乱，举着禅杖左瞧瞧、右看看，不知帮哪个好。两个悟空吵吵嚷嚷来到南海，观音菩萨也辨不出真假。二人打上天宫，玉皇大帝命令托塔天王用照妖镜分辨，但镜中两个悟空一模一样！没办法，两个悟空去找师父分辨。唐僧念起紧箍咒，两个悟空满地打滚儿，直喊头痛，都说："我已经打得很苦，你还咒我！"吓得唐僧不敢再念。八戒扇动着大耳朵，瞪着两只猪眼，看看这个，看看那个，忽然说："猴哥，当年你曾大闹地府，为什么不去找阎王辨认！"两个悟空都说有道理。

真假悟空打到地狱，慌得牛头马面直跌跟头："阎王，不好了！两个孙悟空打来了！"十殿阎王慌了神，赶忙迎出殿外。面对连毫发都一样的两个孙悟空，大家面面相觑，不知道怎么办才好！这时，地藏王菩萨赶来说："让谛听听听看！"谛听是一个能察万事万物的神兽。它伏在地上听了一会儿说："我知道了真假，不过，不能说破，因为它的本领同齐天大圣一样，这里没人能制服它！不如让他们去佛祖那里分辨。"

假悟空并不畏惧，同真悟空拉拉扯扯去找如来佛。如来用慧眼一看，对各位金刚、罗汉、菩萨说："假悟空是六耳猕猴！"

假悟空见佛祖说破真相，变成蜜蜂想逃走，被如来佛用金钵盂罩住。翻开钵盂一看，果然是六耳猕猴。佛祖未来得及阻止，悟空赶上前一棒打死六耳猕猴。

打死六耳猕猴后，悟空和沙僧到花果山取回行李，又保护唐僧向西天走去。

三借芭蕉扇

唐僧师徒向西赶路，越走越热。大家很奇怪：现在是晚秋季节，怎么会越来越热呢？

他们在一个村庄停下来。当地的人们听说唐僧师徒要去西天取经，都摇着头说："去不得，去不得！西面是八百里火焰山，烈火熊熊，就是神仙也过不去！"

唐僧一听着了急："难道没有其他办法吗？"一位老人回答说："有是有。不过，很难做到！"悟空眨一眨火眼金睛："说说看，有多难。"

"要熄灭火焰山的火，除非借来铁扇公主的芭蕉扇！可是，铁扇公主居住在正南方的翠云山，离这儿有三千多里，来回要走很久，更何况铁扇公主的芭蕉扇是不借给人的！"

"没关系，老孙去试试看！"

"如果圣僧肯去求铁扇仙，我们一方百姓也跟着沾光。不知圣僧什么时候动身，我们好去备办行李干粮？"悟空笑道："用不着！老孙去去就来。"说着，一纵身无影无踪了。当地的百姓这才知道唐僧师徒不是一般的人。

悟空到了翠云山，找到了铁扇公主，原来，铁扇公主就是红孩儿的母亲、牛魔王的妻子，叫罗

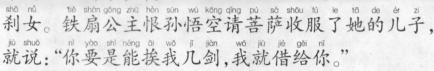

刹女。铁扇公主恨孙悟空请菩萨收服了她的儿子，就说："你要是能挨我几剑，我就借给你。"

孙悟空笑嘻嘻地伸过头去，说："只要肯借扇，砍多少下都行！"

铁扇公主二话不说，照着悟空的头"乒乒乓乓"一口气砍了几十剑，直砍得手酸腕麻。可是，铁扇公主说话不算话，惹得悟空很生气，拿出金箍棒同她打了起来。

铁扇公主拿出芭蕉扇，对着悟空一扇，一下把悟空扇出五万多里，落在灵吉菩萨的小须弥山上。灵吉菩萨送给悟空一粒定风丹。悟空带着定风丹一个筋斗又回到翠云山。这回，铁扇公主再也扇不动孙悟空了。

铁扇公主打不过孙悟空，就跑回洞中，紧闭洞门，再也不肯出来。悟空变成小虫子，钻进洞里，趁铁扇公主不注意，飞到茶叶沫儿的下面，被铁扇公主一口喝进肚中。

悟空在铁扇公主的肚子里拳打脚踢，痛得她满地乱滚，一个劲儿地求饶，把芭蕉扇交给孙悟空。

悟空拿着芭蕉扇来到火焰山，对着烈炎猛煽三下。可不得了！火势反而更大，把悟空两条腿上的毫毛都烧光了！吓得大家纷纷向后逃去。原来，悟空借来的是个假芭蕉扇。

这时，火焰山的土地神建议悟空去找牛魔王。

牛魔王过去是孙悟空的好朋友，悟空满以为他会帮忙的。没料到牛魔王翻脸不认人，同悟空打了起来。打到中途，有人来请客，牛魔王就跑到万圣老龙王家做客去了。孙悟空化成一阵清风，跟着牛魔王到了碧波潭，趁他们喝酒的时候，盗走了牛魔王的坐骑——避水金睛兽，变成牛魔王的模样，回到翠云山，把芭蕉扇骗到手。

牛魔王丢了避水金睛兽，猜到是孙悟空搞的

鬼，急忙向翠云山方向追赶。走到半路，果然看见孙悟空正喜滋滋地扛着一丈二尺长的芭蕉扇一边走一边玩儿呢！心想：你变老牛的样子去骗我妻子，我也骗骗你！想到这里，摇身一变，变成猪八戒的样子，迎着悟空说：

"猴哥，你借扇子很辛苦，我来扛吧！"

孙悟空正在得意，没用火眼金睛细看，就把扇子交给假八戒。牛魔王把芭蕉扇捻了捻，缩成树叶那么大，放在嘴里，一抹脸现出本相，骂道："该死的猴头！你看我是谁？"

孙悟空气得暴跳如雷，跳起身来就打。

双方正打得起劲儿，真的八戒赶来了。八戒一听牛魔王变成自己的样子骗回芭蕉扇，气得几乎犯了猪疯病！他举起钉耙没头没脑地一阵乱打，牛魔王抵挡不住，败下阵去。

第二天再战，牛魔王打不过悟空和八戒，就变成一只天鹅想逃走，悟空立刻变成一只猎隼去追击；他变黄鹰，悟空变乌凤；他变白鹤，悟空变丹凤；他变香獐，悟空变猛虎；他变金钱豹，悟空变金眼狻猊；他变黑熊，悟空变大象，反正是专门降着他！

牛魔王没办法，现出本相，原来是一只大白牛：长一千多丈，高八百多丈，头就像峻岭，角像两座插天的铁塔，双眼冒着火光。他摇头摆尾地高声叫道："孙悟空，看你还有什么办法对付我！"

孙悟空冷冷一笑，抽出金箍棒，把腰一躬，大叫一声"长"就长得身高万丈，头像泰山，眼像太阳和月亮，两条腿呀，就像两根擎天柱！手执巨大无比的金箍棒，向牛魔王当头打去。牛魔王只好硬着头皮用两只铁角抵挡。

就在这时，许多天兵天将赶来帮助孙悟空。牛魔王想逃跑，四面却有四大金刚率领天兵挡住；向天上逃路，有托塔天王、哪吒太子带着天兵镇守。哪吒太子跳在牛魔王的背上，挥起斩妖剑，一剑砍下牛魔王的头，可是，牛魔王马上又长出一个头来。哪吒连砍十几剑，牛魔王连长十几颗头。哪吒就换个办法，把风火轮挂在牛角上烧他！牛魔王终于忍受不住，请求饶命，被押往西天见佛祖。

铁扇公主把芭蕉扇交给孙悟空。悟空一连扇了四十九下，彻底熄灭了火焰山的大火。从此，火焰山一带就成了风调雨顺的好地方。

盘丝洞斗妖

唐僧师徒走过万水千山，不知不觉，又到了春光明媚的时节，到处桃红柳绿，芳草如茵。唐僧在马上看见桃林后边露出一所宅院，就想自己去化斋。他拿着钵盂，走到门口，发现院子里有几个女孩子；三个在踢球，四个在做针线，静悄悄的，没一点声响。

71

唐僧高声说："有人吗？"几个女子看见，忙笑嘻嘻地迎出来说："长老，请里面坐。姐妹们，快做斋饭来。"

唐僧走进房子，发现里面摆的全是石桌石凳，冷气森森，有些害怕。女子摆上的"素斋饭"，竟然是人肉做的！唐僧哪敢吃人肉，连忙要走。那些女子说："你送上门来，还想走吗？"一起抓住唐僧。原来，她们全是妖精！妖精脱去上衣，从肚脐里冒出雪白的丝绳，把整个庄园罩了起来。

悟空知道师父遇上了妖精，忙上前查看。他用手一摸，丝绳又软又黏，心想：不能硬打，于是变成一只苍蝇，叮在路边的草叶上。

一会儿，丝绳被收了回去，从妖洞里走出七个女妖，嘻嘻哈哈地跑到温泉里洗澡。

悟空心想：现在一棍子打死她们，坏了老孙的名声，干脆想个办法，让她们出不来！摇身变成一只老鹰，把女妖的衣服全抓走了。

八戒问："哥呀，哪来的衣服？"悟空说："妖精的。趁她们害羞不敢出来，我们救师父去。"八戒说：

"猴哥，你不把妖精打死，她们还会找麻烦的。等我去打她们！"

八戒跑到温泉，笑着说："让我也来和你们一起洗个澡吧！"放下钉耙，"扑通"一声跳进水里，变成一条鲇鱼，妖精怎么抓也抓不住，累得气喘吁吁。

八戒跳上岸，举耙就打。妖精慌了，光着身子跳出来，吐丝捆住八戒，然后跑回妖洞，收回丝绳，换好衣服，命令小妖守洞门，自己从后门跑掉了。

八戒被丝绳捆住，摔得鼻青脸肿，等丝绳不见了，才爬起来去找悟空。沙僧说："糟了，她们一定去害师父了！"三个人赶到洞口，看见七个一尺高低的小妖，八戒正没好气，举耙就打，小妖飞起来，变成千千万万个黄蜂、蚊子，把八戒、沙僧叮得满头大包。

悟空连忙拔下一把毫毛，说声"变"，变成无数鸟儿，翅打嘴啄很快消灭了小妖。

他们冲进妖洞，救出唐僧，又一起上路了。

唐僧师徒离开盘丝洞，走了两天，看见一所道观，门上写着"黄花观"三个字。

他们走进大门，见一个道士在炼丹，道士放下药丸，请他们坐下，并吩咐小童去泡茶。

盘丝洞的七个女妖正躲在这里，听说唐僧到了，连忙叫小童把道士请进去，一齐跪下，求大师兄为她们出气。

老道听了女妖的话，就说："你们放心，等我收拾他们！"

他打开箱子，拿出一包毒药，塞入十二个红枣中，放到四个茶杯里，另外找出两个黑枣，说："上茶时，给我用黑枣胞茶。"

小童端上茶来，悟空看见道士杯里是两个黑枣，就说："先生，我和你换一杯。"唐僧说："悟空，这是先生的好意，你吃了吧，换什么？"悟空只好盖住茶杯，看着他们吃。

八戒胃口好，看见红枣，拿起来一口吞进进肚里。唐僧、沙僧也吃了。

不一会儿，三个人口吐白沫，倒在地上。

悟空将茶杯朝着道士打过去，问："你为什么下毒？"道士说："因为你在盘丝洞欺负了我师妹！"悟空说："噢，原来你是妖精的师兄！看棍！"

道士举剑来迎。七个女妖跑出来，解开上衣冒出丝绳，把悟空罩住。悟空急忙撞破丝蓬，跳上天空。那妖怪转眼把道观遮了起来。

悟空念了个咒语，拔下一把毫毛，变成七十个小悟空，金箍棒变成七十把叉子，每人一把，喊着号子，一齐用力，把丝绳子搅断，拖出七个女妖，原来是七个大蜘蛛，都团着身子，叫："师兄救命！"道士跑出来说："师妹，我要吃唐僧呢。救不了你们了。"

悟空大怒，打死蜘蛛精，收了毫毛，去找道士，道士打不过悟空，忽然脱下衣服，举起双手，身上长着的一千只眼睛放出金光,把悟空封在里面。

悟空左冲右撞出不来,就变作一只穿山甲,从地下钻了出去。破不了妖精的法术,就救不了师父。悟空正在为难,来了一个老婆婆,告诉悟空说,只有毗蓝菩萨才能降伏这个百眼魔君。

悟空找来了毗蓝婆,原来毗蓝婆是昴日星官的妈妈。她把儿子在太阳里炼成的一根神针往金光里一扔,"扑"的一声,妖精的金光不见了。

毗蓝婆拿出仙丹,救醒了唐僧等人。然后,她用手一指妖精,妖精就现了原形,原来是一只七尺长的大蜈蚣。毗蓝婆用小手指挑起它,回了千花洞。

巧伏狮象怪

狮驼岭有一伙妖魔,本领高,势力大。太白金星担心唐僧师徒吃亏,变成一个老头去给孙悟空报信。悟空半信半疑,就变成一个巡山小妖,混进妖洞去探听消息。

妖王见巡山的小妖回来,就问:"小钻风,你看见孙悟空没有?"

"看见了，他正蹲在洞边磨杠子呢！一边磨还一边说："金箍棒，你很久没有显显威风了！一会儿，我们找几个妖精打着玩玩儿。"

"赶快关好门，防着他点儿！"老妖有些害怕，一声号令，小妖们把洞门关了起来。

悟空心想：让我戏弄戏弄他们！拔下一根毫毛，变成一只苍蝇，在洞内乱飞。

"大王，不好了！孙悟空会变苍蝇。这只苍蝇说不定就是他！"

魔王一听，对呀！平日里洞内根本就没有苍蝇，怎么突然来了一只！连忙吩咐小妖们捉苍蝇。

悟空看见妖精们手忙脚乱的样子，忍不住"扑哧"一笑。这一笑不要紧，把个雷公嘴笑了出来，恰好被第三个妖王看见。他一把抓住孙悟空说："你就是孙悟空！"

悟空忙说："我是巡山的小钻风，大王认错了人吧？"

"小钻风怎么会长个雷公嘴！"

悟空用手一摸，把嘴又变了回去，说："我哪有雷公嘴呀？"这回，别的妖精也看见了。他们不由分

说，一拥上前，把悟空按倒在地，装进了阴阳瓶里。

妖王们喝酒庆祝，说："等猴子过了一时三刻化成血水，我们就去捉拿唐僧。"

悟空听了，笑道："这里面不冷不热，就是住上七八年也没关系，怎么会化成血水呢！"

话音没落，瓶中立刻烈焰腾腾。悟空赶紧念起避火咒。原来，阴阳瓶里装了人，不出声还没事，一说话，就会满瓶烈火，把人活活烧死！

孙悟空见念避火咒不是办法，就拔下三根毫

毛，变成钻头，把阴阳瓶钻了个大洞，跑了出来。魔王的宝贝瓶子被弄成了废物！

悟空找来八戒，回到妖洞前大叫："妖怪，敢不敢和你孙外公打上几个回合！"

大魔王出来叫道："孙悟空，不要猖狂！你让我砍三刀，挨得过，送你师父过山；挨不过，赶快把你师父送来给我吃！""一言为定！"悟空真的收起金箍棒，站在妖王面前。妖王使劲砍了一刀，刀被弹回很高。孙悟空的头皮都没红！

"这猴好硬的脑袋！不过，第二刀保证把你劈成两半！"这一次，魔王使出浑身力气，"噗"的一下，真的把悟空劈成两半。魔王咧开嘴就笑，可是，嘴刚咧开就合不上了：两个悟空正站在面前 朝自己笑呢！

八戒笑得前仰后合："好玩儿，好玩儿！多砍几下！砍一万刀就是二万个孙悟空！"

魔王一听，吓得怎么也不敢砍第三刀了。

悟空拿出金箍棒，在手上掂了掂，说："你砍了我两刀，老孙就还你一棒吧！"

79

魔王不敢硬接，挥刀架住。二人在山坡前大战起来。八戒看了一会儿，心痒难耐，挥舞钉耙打过来。魔王抵挡不住，败下阵去。悟空忙叫："八戒，追上去，不要让他跑掉！"

魔王见八戒追来，摇身变出本相，原来是个狮子精。它张开巨口就吞八戒。吓得八戒赶紧后退。悟空好像收不住脚步，一下冲进魔王的嘴中。

魔王得意洋洋地回到洞中，对另外两个魔王说："二弟、三弟，我把孙悟空抓来了。"

二魔王打量了半天没见孙悟空的身影，问道："你把孙悟空抓到哪儿了？"大魔王拍了拍肚子："在这里面。"三魔王大吃一惊："大哥，坏事了，那孙悟空不能吃！"

孙悟空在大魔王肚子里应声说："能吃！能吃！吃了我，就再也不渴、不饿了！"

大魔王说："没关系，我把他吐出来就行了。"叫小妖烧了许多盐汤喝下去。谁知孙悟空像是在肚子里生了根，魔王吐得头晕眼花，肚汁都吐出来了，就是吐不出孙悟空。

大魔王又想了个办法："小的们，把我的药酒拿来，药死这猴子！"

孙悟空一听有酒喝，就张开嘴，把头变成个喇叭口的样子，等在魔王的喉头。魔王喝了七八杯药酒，都被孙悟空一滴不剩的接着喝了。

不一会儿，酒力发作，悟空在魔王肚子里撒起酒疯来，捏肝抓肺，手舞足蹈。魔王痛得满地打滚，不住声地求饶。悟空折腾够了，就高声说："你张大嘴，等我出来。"三魔王轻声说："大哥，等猴头出来，你一口咬死他。"

悟空听见，就先把金箍棒伸出去。魔王使劲一咬，"咯嘣"一声，把门牙崩掉了两颗！三个魔王一起跪在地上求饶，答应送唐僧过山，悟空这才答应下来。不过，为了防备魔王又说话不算数，悟空用毫毛变了根长绳子，拴在魔王心脏上，从魔王鼻孔穿出。

魔王一个喷嚏，把悟空喷出来，群妖一拥而上，刀枪齐发。悟空跳出洞外，用手一扯，大魔王就像个断线的风筝从天上天掉下来。

大魔王答应送唐僧过山，二魔王不服气。他现出本相，原来是大象精。伸出长鼻子就卷孙悟空，悟空机灵地抬起双手，魔王的鼻子卷住了他的腰。悟空把金箍棒变得又细又长，朝魔王的鼻孔一捅，吓得魔王赶紧松开鼻子，被悟空顺手抓住，牵了过来。

二魔王挣脱不开，只好乖乖地答应不再捣乱。

捉玉兔

唐僧来到天竺国，离西天大雷音寺只剩下两千里路，大家的心情都很轻松。

傍晚，前边高山阻路，山下有座寺庙。门上写着：布金禅寺。

晚上，唐僧在寺院后园散步，忽然听见一阵女子的哭声，哭得唐僧心酸。庙里的老和尚说：这姑娘是去年一个晚上，被风刮来的，她自称是天竺国的公主。老和尚几次进城，听说公主平安无事，只好把她锁在小房子里，对人说是锁了个妖精。老和尚请求唐僧帮忙，打听一下公主的消息。

第二天，唐僧师徒走进天竺城，看见城里到处张灯结彩，人们拥拥挤挤的，都去看公主抛绣球，招附马。悟空说："我们也去，顺便看看公主的情况。"悟空和唐僧二人便随着人群走到了彩楼下。

原来，有个妖精推算出唐僧一定从这里经过，就提前跑来，一阵风把公主刮走，自己就变成公主，在十字街头搭好彩楼等着。

假公主看见唐僧，喜上心头，拿边绣球，轻轻一抛，正好打在唐僧的帽子上，唐僧吃了一惊，抬手一扶帽子，绣球骨碌一下，滚进袖子。楼上的宫女惊道："打着和尚了！"

唐僧急坏了，对悟空说："这可怎么办？"话没说完，一群宫女走出来对唐僧说："恭喜！"拥着他就往宫里走。

国王见女儿领个和尚进来，心里很不高兴。假公主说，这是天意，国王不能失信于民。国王一想有道理，就下令招唐僧做驸马。唐僧推托不开，只好把徒弟们叫来，嘱咐几句话。

国王下令，让悟空三人去取经，把唐僧留下做驸马。悟空一口答应，接过公文领着八戒、沙僧，转身就走。

唐僧慌了，跑下来，一把拉住悟空说："你们真的不管我了？"悟空用手掐了他一下："师父只管在这儿享福，我们以后再来看你。"唐僧弄不清悟空捣的什么鬼，当着人不好多问，只得放了手。

悟空走出不远，就让八戒、沙僧躲起来，自己变成个小蜜蜂，飞进王宫，落到唐僧头上，悄声在他耳边说："师父，别发愁，我来了。"唐僧这才放了心。

过了一会儿，宫女们簇拥着公主来参加婚礼。悟空睁开火眼金睛仔细一看，看出公主头上的妖气，就对唐僧说："师父，公主是个假的。"

悟空性急，大喝一声："好个妖精，还想害人！"拔出金箍棒，照头就打。妖精见自己露了馅儿，就脱去衣服，从御花园里取出一条短棍，照着悟空乱打。

唐僧急忙对国王说："公主是个假的，悟空正在降妖。"国王这才知道自己受了骗。悟空见妖精用的短棍一头粗，一头细，满天乱舞，一进找不到破绽。就把金箍棒往天上一扔，说声"变"！金箍棒，困往了妖精。妖精慌了，化成一股清风，藏进一座高山。

悟空四下寻找，不见妖精的踪影，就念声咒语，把土地神叫了来。土地说：山上只有三个兔窝。于是领着悟空，挨个找寻。找到山顶，看见一块大石头堵住了洞口。

悟空撬开石头，妖精"呼"的一声跳出来，边打边跑。悟空正要一棒打死它，忽见彩云飘飘，嫦娥仙子赶来，叫："大圣别打死它！它是月宫的玉兔，偷偷下凡，干了坏事，请大圣饶它死罪！"悟空说："怪不得它的捣药杵使得这么好，原来是月宫捣药的玉兔！好吧，既然如此，就饶了它吧！"

那妖精在地上一滚，现了原形，原来是可爱的小兔。悟空领着国王和王后，又回到布金禅寺，救出真公主。国王一家父女团圆了。

无底洞中救唐僧

唐僧等人不顾悟空的反对，在黑松林里救出了一个女子，把她送到了一座寺庙。谁知，这女子是妖精变的。

唐僧病倒在庙里，一连三天，上不了路。悟空到一厨房取水，见和尚们哭得很伤心，就问出了什么样事。和尚们说，庙里有妖精，已经吃掉了六个撞夜钟的小和尚。

夜里，悟空也变作一个小和尚，在大殿呜哩哇啦地念经。果然，飕飕的冷风刮过，一个妖精伸爪来抓悟空。

悟空不慌不忙，拔出金箍棒就打。妖精支撑不住，眉头一皱，想出个花招。她边打边退，脱下一只绣花鞋，吹口气，变成个假身与悟空对打，真身化成一阵狂风，闯到后院，抓走了唐僧。

悟空一棒打倒妖精，发现是一只绣花鞋，说声"不好！"赶回去一看，师父不见了，八戒、沙僧还在睡觉。悟空气得揪起八戒就打："你们救的'好人'！吃了和尚，抓走师父，你们还在睡大觉！"

86

悟空带着八戒、沙僧，回到黑松林，变成三头六臂的样子，噼哩啪啦一阵乱打，把山神、土地打了出来，才知道妖精在陷空山无底洞。

无底洞直上直下，深不见底，洞内有三百里方圆，弯弯曲曲，到处都是洞窟。悟空慢慢的摸索，找到师父，好容易救出师父，没想到又被妖精专了空子，一不留神，又被妖精掳了回去。悟空万分着急，四下寻找，却不见妖精的踪影。

忽然，一阵香味飘来，悟空跑过去一看，在一个黑黑的小洞里，放着一个金字牌位，上面写着：父亲托塔李天王之位，哥哥哪吒三太子之位。下边香烟缭绕，放着许多供品。

悟空拿着牌位，来到天宫，向玉帝告状。玉帝派金星和悟空一起召李天王和哪吒太子对质。托塔天王听说悟空告自己，气得大叫："来人！把猴头捆上！"拿过斩妖刀来就砍。

金星埋怨悟空莽撞，得罪了天王。悟空却笑着说："放心！我一定会赢！"

哪吒太子拦住天王说："父亲，有个金毛老鼠精被咱们放掉，拜你为父，认我为兄，每天烧香上供。你忘了吗？"

托塔天王这才想起，忙放下刀，亲自来解悟空身上的绳索。悟空满地打滚不让解，口口声声要去见玉帝。

天王没办法，就求金星说情，反复给悟空赔不是，悟空这才饶了天王。

托塔天王和哪吒太子带着天兵天将，把三百里的无变色镜洞搜了遍，最后找到了妖精。救出唐僧后，哪吒太子把老鼠精押上了天宫。

灵山取真经

唐僧师徒走过万水千山，经历了许多令人难以想像的磨难，终于来到西天。师徒四人一边欣赏灵山仙境风光，一边愉快地向大雷音寺走去。

忽然，一条大河出现在眼前。河面宽阔，水流湍急。唐僧满脸疑惑地问："悟空，我们是不是走错了路？"

"师父，没错！"

"那我们怎么过河呀？"

"那里是有桥吗！"悟空把手向上一指。

唐僧、八戒、沙僧抬头一看，不由得缩回脖子：在河的上游，高耸入云的两山之间，搭着一根已经腐朽的枯木。八戒扇着大耳朵，摇着长嘴巴说："走不得，走不得！别说那段朽木担不了沉重，就是滑下来，也摔个粉身碎骨！要过，你们过吧，我是不过！"

唐僧和沙僧连忙附和道："对，过不得，还是另外想办法吧！"

这时，下游撑来一只船。船公高叫："摆渡罗，有缘的上船罗！"

悟空火眼金睛，认出是接引佛祖，也不说破。船到岸边，唐僧见是一条无底船，说什么也不敢上。悟空趁他不注意，用力一推，唐僧"扑通"一声掉进船里。八戒、沙僧、白龙马也跟着跳上船。

接引佛祖撑开船，唱着山歌，向对岸划去。

唐僧带着悟空、八戒、沙僧一起拜见如来。如来高兴地让他们跟随阿傩、伽叶去挑选经卷。可是，走到藏经阁门口，阿傩、伽叶却拦住门说："拿见面礼来吧！"

"什么见面礼呀？我们诚心敬佛，没有准备礼物，请两位方便方便吧！"唐僧赶紧说。

"没有见面礼，就别想取经！"

悟空立刻吵嚷起来："你们竟敢勒索人！好吧，我们去找如来要经！"

阿傩、伽叶拦住说:"好了,不要嚷。给你们经卷就是!"

唐僧师徒驮着经卷,高高兴兴地走了。藏经阁后的燃灯古佛心中不忍。就叫身边的白雄尊者:"东土来的取经人取走的经卷是白版的无字经,枉费了他们一番辛苦。你追上去把经卷抢了,让他们回来再取真经。"

白雄尊者驾云赶上唐僧师徒,从半空中伸下手来抢走经包,悟空抢起金箍棒紧追。白雄尊者害怕被金箍棒打中,抖散经包,脱身逃跑。悟空顾不得追赶白雄尊者,连忙去拣漫天乱飞的经书。打开一看,竟然全是白纸!唐僧叹息道:"天哪,我拿着这些白纸,怎么去见东土唐王啊!"

悟空生气地说:"阿傩、伽叶仍然要礼物。唐僧没办法,只好把自己一路上盛饭装水的紫金钵盂给了他们,才算取到了真经。

回去的路上,唐僧师徒到了通天河,当年送他们过河的老龟高兴地驮着他们过河。老龟一边游,一边问:"师父,你问没问佛祖,我修行多少年才能

91

得到人身？"唐僧这才想起，自己一心拜佛取经，把
这事给忘了。他不会说谎，答不上来。

老龟一生气，就潜下水去了。悟空机灵，早就跳
上天空，唐僧等人和经卷都落入水中，浸得湿淋淋
的，足足晒了一天，才又上路。

最后，唐僧师徒带着经卷回到大唐，完成了太
宗皇帝交给的任务。

唐僧师徒取经有功，如来佛封唐僧为功德佛、
悟空为斗战胜佛，猪八戒做了净坛使者，沙僧成了
金身罗汉，白龙马变成八部天龙，从此盘绕在山门
的华表柱上。

唐僧、悟空、八戒、沙僧谢过佛祖后各就其位。